신기한 스쿨 버스 키즈 Kids

⑥ 유령 박물관에서 열린 음악회 — 소리의 원리

조애너 콜 글·브루스 디건 그림/ 이강환 옮김

1판 1쇄 펴냄—2001년 11월 15일, 1판 57쇄 펴냄—2016년 10월 8일
펴낸이 박상희 펴낸곳 (주)비룡소 출판등록 1994. 3. 17.(제16-849호)
주소 06027 서울시 강남구 도산대로1길 62 강남출판문화센터 4층
전화 영업 02)515-2000 팩스 02)515-2007 편집 02)3443-4318,9 홈페이지 www.bir.co.kr
제품명 어린이용 각양장 도서 제조자명 (주)비룡소 제조국명 대한민국 사용연령 3세 이상

THE MAGIC SCHOOL BUS IN THE HAUNTED MUSEUM: A Book About Sound
Copyright ⓒ 1995 by Scholastic Inc.
All rights reserved.
Korean Translation Copyright ⓒ 2001 by BIR

SCHOLASTIC, THE MAGIC SCHOOL BUS, 〈신기한 스쿨 버스〉
and logos are trademarks and/or registered trademarks of Scholastic Inc.
Based on the episode from the animated TV series produced by Scholastic Productions, Inc.
Based on THE MAGIC SCHOOL BUS book series
written by Joanna Cole and illustrated by Bruce Degen.
TV tie-in book adaptation by Linda Ward Beech and illustrated by Joel Schick.
TV script written by John May, Kristin Laskas Martin and Jocelyn Stevenson.
Korean translation edition is published by arrangement with Scholastic Inc.,
555 Broadway, New York, NY 10012, USA through KCC.

ISBN 978-89-491-5029-1 74400 / ISBN 978-89-491-5023-9(세트)

신기한 스쿨 버스 ^{키즈} Kids

❻ 유령 박물관에서 열린 음악회 — 소리의 원리

조애너 콜 글 · 브루스 디건 그림/ 이강환 옮김

우리는 소리 박물관에서 열릴 음악회 준비를 하고 있었어요. 하지만 카를로스가 만든 악기에 조금 문제가 있었어요. 악기의 모양은 그럴 듯했지만 랠프의 말에 따르면 소리는 '끔찍'했거든요. 어떻게 그런 소리를 내는 악기로 '새로운 악기를 위한 협주곡'을 연주할 수 있겠어요?

하지만 프리즐 선생님은 전혀 걱정하지 않았어요. 선생님은 오히려 카를로스를 격려해 주었어요. "구하라, 그러면 얻을 것이다!" 라는 말까지 하면서요. 그리고는 우리를 급히 스쿨 버스로 데려갔어요. 음악회의 예행 연습에 늦을지도 몰랐거든요. 우리는 서둘러 소리 박물관으로 가야 했어요.

카를로스는 스쿨 버스를 타고 가는 동안에도 계속 악기를 손질하고 있었어요.

"더 이상해지는 거 아니야?" 도로시 앤이 말했습니다.

"설마, 조금 있으면 나아지겠지." 팀이 말했습니다.

그때 스쿨 버스가 이상하게 움직이기 시작했어요.

프리즐 선생님이 운전하는 동안에는 흔히 있는 일이죠.

갑자기 스쿨 버스가 멈춰 버렸어요. "큰일 났네." 피비가 말했습니다.
"예행 연습을 꼭 해야 하는데." 도로시 앤이 말했습니다.
"내가 스쿨 버스를 앞에서 끌 테니 여러분은 뒤에서 미세요!"
프리즐 선생님이 소리쳤습니다.

우리가 스쿨 버스를 미는 동안에도 카를로스는 계속 악기를 손질했어요.
악기의 모양은 점점 그럴 듯해지는 것 같았지만 소리는 점점 더 이상해졌어요.
주위에서는 으스스한 소리가 들리기 시작했어요.

그때, 좀 특이한 소리가 들려왔어요. 프리즐 선생님은 '멋진 소리'라고 했죠.
그 소리는 낡고 오래된 집에서 나는 소리였어요.
우리는 스쿨 버스로 돌아가고 싶었지만 프리즐 선생님이 이렇게 말했어요.
"여러분, 기회를 놓치지 말아요! 실수를 두려워 마세요!"

선생님은 초인종을 눌렀습니다. 당그렁! 이런 초인종 소리 들어 봤나요?

카를로스가 그 이상한 소리를 듣더니 말했습니다.
"우와, 굉장한데! 어디서 나는 소리인지 찾아봐야겠어."
"어휴, 오늘 같은 날은 그냥 집에 있어야 하는 건데." 아널드가 얼굴을 찌푸리며 말했습니다.
문이 스르륵 열리자 카를로스와 프리즐 선생님은 집 안으로 성큼성큼 걸어 들어갔어요.
우리도 모두 뒤따라갔어요.

"여보세요!" 프리즐 선생님이 소리쳤습니다.

"여보세요오오오." 메아리만 울릴 뿐 아무런 대답이 없었어요.

그때 문이 꽝 닫히더니 꿈쩍도 하지 않았어요. 우리는 그 집에 갇힌 거예요!

"여기에 전화번호부가 있어. 우리를 도와줄 사람을 부를 수 있을지도 몰라."
도로시 앤이 말했습니다.
그런데 도로시 앤이 전화번호부를 펼치자마자 책에서 전화벨 소리가 났어요!
프리즐 선생님은 다른 책들을 열어 보았어요. 그러자 으르렁거리는 소리, 속삭이는 소리,
비명 소리 그리고 소름끼치는 웃음소리가 났어요! 책들은 온갖 소리로 가득 차 있었어요!

"누가 이 집에 살고 있을까?" 키샤가 조심스럽게 말했습니다.

그러자 프리즐 선생님이 집주인인 코넬리아 콘트랄토 교수에 대해 이야기해 주었어요.

"콘트랄토 교수는 대단한 소리 수집가였는데 약 백 년 전에 갑자기 사라져 버렸어요."

우리는 놀라지 않았어요. 누가 이런 집에서 살고 싶겠어요?

하지만 선생님의 다음 얘기에 우리는 너무 놀라 뒤로 넘어질 뻔했어요.

"여러분, 사실은 여기가 바로 소리 박물관이에요."
이럴 수가! 박물관은 보통 밤에 문을 닫잖아요. 그런데 우리가 지금 그 안에 있는 거예요!

하지만 프리즐 선생님은 아무렇지도 않게 말했습니다.

"우리는 이곳을 전부 사용해도 돼요."

"최고예요!" 카를로스가 말했습니다.

하지만 우리는 별로 기쁘지 않았어요. 랠프는 걱정이 가득한 목소리로
말했습니다. "콘트랄토 교수는 귀신이 된 게 분명해. 지금도 특이한
소리를 찾아 집 안을 헤매고 있을지 몰라."

정말 그럴 것 같았어요. 이 집은 놀라운 소리들로 가득 차 있으니까요.

잠을 잘 시간이었어요. 신기하게도 소리 박물관에는 어린이용 침대가
충분히 있었어요. 우리는 모두 잠자리에 들었어요. 하지만 카를로스는 계속
자기 악기에 대해 생각하고 있었죠. 아직 아무것도 나아진 게 없었으니까요.
"콘트랄토 교수님, 만일 이곳에 계신다면 제 악기가 좀 더 좋은 소리를 낼 수
있도록 도와주세요!" 카를로스가 부탁했습니다.

그러자 밖에서 이상한 소리가 들려왔어요! 누군가가 아니면
뭔가가 카를로스에게 대답한 거예요! 카를로스는 쏜살같이 방에서
뛰어나갔어요. 우리도 카를로스를 얼른 뒤쫓아 갔지요. 우리가 미처
말리기도 전에, 카를로스는 소리가 나는 방문을 열어 버렸어요.

그곳은 이상한 방이었어요. 우리가 주위를 둘러볼 때마다 방의 모습이 달라졌어요. 방은 정글이 되었다가 다시 산으로 바뀌었지요. 그런데 거기에 프리즐 선생님이 있었어요. 눈 덮인 산 위에서 요들송을 부르고 있었지요. 선생님의 요들송은 이 산, 저 산에 부딪혀서 메아리가 되었어요.

그때였어요. 우리는 갑자기 어떤 큰 방 안으로 떨어져 버렸어요.
세상에! 그 방은 집채만 한 악기들로 가득 차 있었어요!
도로시 앤이 하프 줄을 잡아당기자 하프 줄이 흔들리면서 소리가 났어요.
"저렇게 반복해서 흔들리는 것을 진동이라고 해요."
프리즐 선생님이 말했습니다.
"줄이 진동을 멈추면 소리는 나지 않아." 키샤가 덧붙여 말했습니다.

"그럼 진동 때문에 소리가 나는 건가요?" 카를로스가 물었어요.

그때 팀과 피비가 북을 두드리고, 완다가 징을 쳤어요. 우리는 그 질문에 대한 답을 알 수 있었어요. 둥둥둥! 지이이잉! 북과 징이 진동하자 아주 큰 소리가 났고, 그 진동 때문에 우리 몸까지 마구 흔들렸거든요!

그때 프리즐 선생님이 높은 탑처럼 생긴 커다란 종을 쳤어요. 그러자
지진이 난 것 처럼 방 안이 흔들리더니 벽이 갈라지면서 틈이 생기지 뭐예요.
우리는 프리즐 선생님을 따라서 벽 사이를 지나 무대 위로 올라갔어요.

프리즐 선생님은 카를로스에게 우스꽝스러운 안경을 주었어요.
정말 신기한 안경이었어요. 소리가 퍼져 나가는 것이 눈에 보였거든요!
"소리가 퍼져 나가는 것을 '음파' 라고 불러요." 프리즐 선생님이 말했어요.
"소리가 퍼져 나가는 모습이 마치 연못의 물결 같아요. 여러 개의
원들이 밖으로 퍼져 나가고 있어요!" 카를로스가 소리쳤습니다.

우리는 모두 마술 안경을 썼어요. 소리를 만들고 음파를 관찰하는 것은 정말 재미있었어요. 음파는 한 점에서 시작해서 사방으로 둥글게 퍼져 나갔어요.

이번에는 프리즐 선생님이 새로운 것을 보여 주었어요.
우선 선생님은 높은 음으로 노래를 불렀어요.
그러자 음파가 원 모양으로 촘촘하게 퍼져 나왔어요.
다시 낮은음으로 노래를 부르자 원들의 간격이 점점 벌어졌어요.
"여러분, 높은음은 빠르게 진동하고 낮은음은 느리게 진동해요."
프리즐 선생님이 말했습니다.

그때 카를로스는 중요한 사실을 깨달았어요.
"맞아! 악기가 어떻게 생겼는지는 중요하지 않아.
중요한 건 바로 진동하는 방법이야!"
카를로스는 서둘러 침실로 되돌아왔어요.
그런데 카를로스의 악기는 어디에도 없었어요.

우리는 모두 긴장했어요.

그때 이상한 소리가 다시 들려오면서 불이 탁 꺼져 버렸어요!

"저 벽장 속에서 나는 소리야!" 도로시 앤이 소리쳤습니다.

카를로스는 살금살금 다가가 조심스럽게 벽장문을 열고 그 안을 살피다가……

앗, 갑자기 사라져 버렸어요. 벽장 속으로 떨어져 버린 거예요!

프리즐 선생님도 곧바로 벽장 속으로 뛰어들면서 소리쳤습니다. "여러분, 따라오세요!"
별로 좋은 생각 같지는 않았지만 어쩌겠어요, 우리 선생님인데.
으아아아아! 우리는 모두 아래로, 아래로 한없이 떨어졌어요. 쿵!

그곳에는 구불구불한 긴 터널이 있었어요. 음파가 터널의 벽을 따라 퍼지고 있었죠.
우리는 음파를 따라 터널 끝으로 조심스럽게 걸어갔어요.

터널 끝에는 방이 하나 있었어요. 바로 그 방에서 소리가 새어 나오고 있었죠.

카를로스가 살짝 문을 열었어요.

방 안에는 어떤 사람이 오르간 앞에 앉아 있었어요.

그 사람은 코넬리아 콘트랄토 3세였어요! 바로 콘트랄토 교수의 증손녀죠.

콘트랄토 3세는 오르간 뒤에서 카를로스의 악기를 꺼냈어요.

흠, 눈에 익은 악기군.

카를로스는 무엇을 해야 할지 정확하게 알고 있었어요. 카를로스는 악기에 붙은 장식들을 떼어 냈어요. "너무 많은 것들이 붙어 있었어. 그래서 악기가 제대로 진동하지 못한 거야." 카를로스가 말했습니다.

우리는 멋진 음악회를 열었어요! 모든 사람들이 카를로스가 만든 악기에 반했어요. 소리가 너무 좋았거든요. 콘트랄토 3세는 그 소리가 너무 마음에 든다며 악기를 기증해 달라고 부탁했어요. 카를로스의 악기가 없으면 소리 박물관이 완성될 수 없다고 했죠. 옳은 말이에요!

엉뚱한 전화

어! 또 전화벨이 울리네. 누굴까요?

신기한 스쿨 버스 : 여보세요?

독자 : 이 책은 대단한 상상력으로 이루어져 있군요.

신기한 스쿨 버스 : 무슨 말씀이시죠? 이 책에 나오는 내용은
　　　모두 사실이에요.

독자 : 글쎄요. 그 초인종은 진짜일 리가 없어요.

신기한 스쿨 버스 : 음―, 그럴 수도 있죠. 하지만 정말 멋진
　　　생각이잖아요?

독자 : 책에서 이상한 소리들이 나온다는 걸 사람들이
　　　믿을 거라고 생각하나요?

신기한 스쿨 버스 : 사실 그건 꾸며 낸 이야기죠.

독자 : 그리고 실제로 소리를 눈으로 볼 수는 없어요. 그렇죠?

신기한 스쿨 버스 : 맞아요. 그래서 아이들이 마술 안경을
　　　썼던 거예요. 하지만 나머지 내용은 모두 사실이에요.

독자 : 유령도요? 세상에 유령은 없어요!

신기한 스쿨 버스 : 아, 물론이에요.

독자 : 그리고 스쿨 버스 같은 신기한 버스는 있을 수가 없어요.

신기한 스쿨 버스 : 맞아요. 하지만 그런 게 있었으면 좋겠다는
　　　생각은 할 수 있죠. 상상력을 한번 발휘해 보세요!

프리즐 선생님의 공책
기회를 놓치지 말아요! 실패를 두려워 마세요!

소리는 뭔가가 움직이거나 진동이 일어날 때 만들어집니다.
두께가 다른 고무줄 여러 개를 책에 감아 보세요. 어떤 줄이 더 높은 소리를 내나요? 두꺼운 줄인가요, 가는 줄인가요? 고무줄 악기로 연주를 해 보세요.

음파는 원 모양으로 퍼져 나갑니다. 물이 담긴 그릇에 동전 하나를 떨어뜨려 보세요. 그때 보이는 물결 모양이 음파의 모양과 비슷하답니다.
물결과 마찬가지로 음파도 한 점에서부터 퍼져 나가요.
이 책에서 음파를 찾아보세요. 어디로 퍼져 나가고 있나요?

우리가 소리를 들으면, 소리는 뇌로 전달돼요. 사람들은 소리로 서로의 생각을 전달할 수 있어요. 주위에서 나는 소리들을 들어 보세요.
말을 하거나 노래를 불러서 소리를 만들어 봐요.
이 책에서 프리즐 선생님과 아이들은 어떻게 소리를 만들어 내나요?

소리를 생활에 이용하는 동물들도 있습니다. 예를 들어 박쥐는 앞을 잘 볼 수 없어요. 그래서 움직일 때마다 입이나 코로 아주 높은 소리를 내보내요.
그러면 소리가 주위의 물체에 반사되어 되돌아오죠. 박쥐는 되돌아온 소리로 주위의 물체를 탐지해 돌아다니는 거예요.
이 책에서 박쥐를 찾아보세요.

소리는 조절할 수 있어요. 입 주위에 관이나 컵을 대고 소리를 내 보세요.
소리가 컵에 막혀서 주위로 빨리 퍼져 나가지 못하는 걸 느낄 수 있을 거예요.
이 책에서 소리를 조절할 수 있는 악기들을 찾아보세요.

글쓴이 **조애너 콜**은 미국 뉴저지 주 뉴어크에서 태어났다. 초등학교 사서로 있다가 어린이 책 작가가 된 조애너는 책을 쓰기 전에 전문가 인터뷰와 철저한 자료 조사를 하는 것으로 유명하다. 「신기한 스쿨 버스」 시리즈로 《워싱턴 포스트》 논픽션 상, 데이비드 맥코드 문학상, 전미교육협회 공로상 등을 받았다.

그린이 **브루스 디건**은 1945년 미국에서 태어나 뉴욕 쿠퍼 유니언 대학과 프라트 대학에서 일러스트를 전공했다. 「신기한 스쿨 버스」의 주인공들처럼 밝고 익살스러운 성격으로, 한때 아이들에게 미술을 가르치기도 했다. 자신이 직접 글을 쓴 『잼베리』 등을 비롯, 수십 권의 어린이 책에 그림을 그렸다.

옮긴이 **이강환**은 서울대학교 천문학과를 졸업하고, 같은 대학 대학원에서 박사 학위를 받았다. 옮긴 책으로는 『꼬마 박사 궁금이의 똑똑한 뇌 이야기』, 『별의별 원소들』, 「신기한 스쿨 버스」 시리즈 등이 있다.